KB171438

인간은 왜 살아야 하는가?

인간은 왜 살아야 하는가?

발　행 | 2019년 6월 19일
저　자 | 강준규
펴낸이 | 한건희
펴낸곳 | 주식회사 부크크
출판사등록 | 2014.07.15.(제2014-16호)
주　소 | 서울특별시 금천구 가산디지털1로 119 SK트윈테크타워 A동 305호
전　화 | 1670-8316
이메일 | info@bookk.co.kr

ISBN | 979-11-272-7583-9

www.bookk.co.kr

인간은 왜 살아야 하는가?

강준규 지음

CONTENT

서문

우리는 살아가면서 '인간성을 잃었다.', 혹은 '인간답게 살아라.'는 말을 듣곤 한다.
그럼 우리는 인간성 즉 인간의 본성이 무엇인지 명확하게 대답할 수 있는가?
그걸 모르면서 우리는 어떻게 인간답게 살아갈 수 있는가?
그걸 모르면서 우리는 인간이 왜 살아가야 하는지를 알 수 있는가?

이렇게 얘기하면 이 책의 제목을 보고
"너는 그걸 알아서 이걸 썼냐?"라고 물어올지 모른다.
물론 본인 또한 그것을 다 알 수도 있고 모를 수도 있다.
우선 이 글은 그것에 대해서 어렴풋이 알았다고 믿기 때문에 쓴 글이다.

철학적으로 비유하자면
코끼리의 뒷다리를 잡은 상태일지도 모른다.
나는 너무나도 당연한 말을 길게 적는 것을 좋아하지 않는다.
그렇기에, 나는 나의 결론을 최대한 간결하게, 그 누구나 이해할 수 있게 전달하고자 한다.

물론 나의 배움이 짧아 그러한 것일 수도 있다.
하지만 우리는 이 질문에 대하여 우리가 배움을 시작하기에 앞서서 답하였어야 했다.
우리는 어떻게 "인간은 왜 살아야 하는가?"라는 질문에 답을 도출 해낼 수 있는가?
왜 우리는 살아있는 순간 당연히 도출해내야 할 답을 죽을 때까지 무시하면서 죄인처럼 피해 다녀야 하는가?

(1) 우선 모순을 받아들이자.

 인간은 왜 살아야 하는가?
이를 생각하기에 앞서 우선 우리는 모순의 존재를 받아들여야 한다.
논리 속에 비논리가 존재한다는 것을 받아들여야한다.
조리 속에 부조리가 존재한다는 것을 받아들여야한다.
왜냐하면 이미 나 자신이 모순된 상태이기 때문에.

 누군가에게는 불편한 사실이 될지도 모르겠지만
나는 나의 의지로 태어나고 싶어서 태어난 것이 아니다.
그렇기에 나는 나의 존재에 대하여 아무런 책임을 질 필요가 없다.
그것은 인간이 체감할 수 있는 너무나도 자명한 사실이다.
하지만 우리는 세상과 나의 몸의 욕구와의 절충 속에
'나'라는 존재를 상상해냄으로서 우리 육체의 주인이라는 '나' 즉 자아를 형성했다.
그렇기에 우리는 나의 존재를 통제할 수 있는 권리를
지님과 동시에 나의 존재에 대한 책임을 지닌다.

'책임이 없는데 책임을 져야한다.'
모순이 어떠한 문제적인 존재라면 이 모순을 어떻게 해결할 것인가?
죽음이 완벽한 도피처인가?
우리는 존재하는 것에 대한 책임의 무거움을
감당하지 못하고 그대로 도망갈 것인가? 물론 선택에 달린 문제다.

모순을 해결하는 가장 좋은 방법은 우선, 그 모순을 모순 그자체로서 받아들이는 것이다.
왜냐하면 우리는 '나' 스스로 나를 죽이는 것이 불가능하다는 걸 직관적으로 알기 때문에.
스스로의 의지로 직접 호흡을 멈출 수 있는 사람은 존재하지 않는다.
스스로의 의지로 심장을 멈춰버릴 수 있는 사람은 존재하지 않는다.
아무리 강한 죽음에 대한 의지를 가지더라도.

우리는 우리 몸의 강한 생존욕구를 이겨내지 못한다.
우리는 나의 몸뚱이의 주인인 것을 직관적으로 알면서도
동시에 자신의 모든 것을 통제 할 수 없다는
모순성을 받아들여야 한다.
나에게 나의 몸에 대한 자유의지는 없는 것인가?
(이것에 대한 답은 계속해서 이 글을 읽다보면 알게 될 수도 있다. 혹은 모를 수 도 있다. 당신은 답이 존재하지 않을 수도 있다고 선언하는 철학서적을 계속해서 읽을 자신이 있는가?)

(2) 모순을 받아들이는 순간 우리는 논리에서 해방된다.

왜 논리에서 해방되어야 하는가?
인간은 논리적으로 살려고 노력한다.
그와 동시에 자기 자신이 비논리적임을 직관적으로 혹은
경험적으로 체감한다.
그야말로 모순이다. 모순적인 상태 그 자체이다.
모순인 상태는 옳지 않은 것 인가?

나는 사람이다. 사람은 죽는다. 고로 나는 죽는다.
모든 존재는 결국 사라진다.

이것은 너무나도 자명하고 경험적으로, 직관적으로 체감할 수 있는 현존하는 '진리'이다.
하지만 이것을 진리라고 생각하는 사람은 아무도 없다.
그 사람은 이미 죽고 없어진 상태이기 때문에.
우리는 그것을 경험하지 않는 이상
완벽하게 그것의 존재를 이해할 수 없다.

슬픔을 느껴본 적이 없는 사람이
슬픔의 존재를 이해할 수 있는가?
고통을 느껴본 적이 없는 사람이
고통의 존재를 이해할 수 있는가?

아무리 우리는 말로 설명한다 해도
'어렴풋이' 짐작할 뿐 그것을 완벽하게 이해할 수 없다.
마찬가지로 우리는 우리 자신이 죽을 것이라는 사실을 '어렴풋이' 짐작 할 뿐이다.
'우리는 사람이 죽는다는 것을 알면서도
마치 자기 자신은 죽지 않을 것처럼 믿으면서 산다.'

왜냐하면 죽음의 허무함을 논리적으로 완전하게 받아들이면
우리는 그야말로 아무것도 할 수 없기 때문이다.
우리의 행동에 아무런 의미부여를 하지 못한다.
모든 것이 허무하기 때문에.
우리는 논리적으로 살아가려고 했는데.
우리는 죽기 위하여 논리를 사용해온 것인가?
그러므로 우리는 우선 살기 위해서
논리를 버려야 한다.
심지어 이 글조차도 논리적으로 쓰인 것처럼 하므로 모순이다.
우리는 모순 그 자체를 아무런 가치 판단 없이 우선 그대로 받아들여야 한다.

이것이 만약 어렵게 느껴진다고 생각하면
우리가 일상생활에서 '논리'만을 강조하였을 때
어떤 일이 발생하는지 상상해보자.

우선 국가가 붕괴된다.
국가는 모든 국민의 이해관계를 상호 절충하여
법률을 제정하고 행정을 시행하여야하는데
그것이 인간의 힘으로 가능한가? 불가능하다.

우린 그걸 직관적으로 체감한다. 우선 국가란 비논리적인 존재이다.

사법 체계 또한 붕괴된다. 인간이 인간의 죄를 완벽하게
형량 한다는 것이 가능한가? 범죄에 대한 대가를
국민 모두를 불러다 모아 각자의 생각을 비교하고 절충하여
완벽한 합의점을 도출 해내는 것이 가능한가?
불가능하다. 법률 또한 비논리적인 존재이다.

경제 또한 마찬가지다.
경제학의 세계에서 기본적인 가정 중 하나는 모든 사람이 합리적인 판단을 한다는 것이다.
하지만 현실 세계에서도 그러한가?
우리는 정말로 합리적인 판단만을 하는가?
구매자가 만족하면 합리적인 소비이고, 만족하지 못하면 비합리적인 소비인가? 누군가가 타인에게 비합리적인 소비를 했다고 말할 자격이 있는가? 그것은 단지 스스로의 잣대에서 말할 수 있을 뿐이다. 우리는 논리적으로만 따지면 어떠한 물건도 쉽사리 사기도 힘들고 판매자 입장에서는 가격을 정하기도 힘들다.

가정 또한 마찬가지이다.
우리는 서로의 이해관계를 완벽하게 절충하여
결혼이라는 것을 해낼 수 있을 것 인가?
만약에 그래야만 결혼이 성립한다면
그 누가 결혼을 할 수 있겠는가?
무엇보다도 우리는 어떻게 온전히 부모의 책임만으로
'자기 자신을 스스로 책임져야 하는' 모순적인 새로운 존재를 출산할 것 인가?

도대체 무슨 자격으로?

인간 세상을 둘러싼 모든 시스템은 논리적이면서도 동시에 비논리적이다.
당연한 것이다. 그것을 만들어낸 인간이 애초에 비논리적인 존재이기 때문에.
하지만 동시에 논리적인 척하려고 애쓰고 있다. 모순이다.
하지만 위의 것들을 부정하여야하는가?
당신은 이것들을 부정하는 순간 인간이 인간답게 살아갈 수 없다는 것을 직관적으로 체감한다.

‘인간은 논리적으로만 행동하려고 하면, 아무것도 할 수 없다.’

결국 우린 모순을 받아들이지 못하면 고통 속에 갇히게 된다.
우선 나 자신이 존재의 허무와 인생에 대한 임의적인 의미부여의 무한한 부딪침 속이라는 모순적인 상태에 있기 때문이다.
아무리 전자의 존재를 부정하더라도 인간은 피할 수 없다.
인간이 지성을 가진 이성적인 존재로서 살아있는 이상은.
존재의 허무라는 현존하는 가장 잔혹한 진리를 부정하지 못하는 이상은.

(3) 그렇다면 우리는 논리를 버린 후에 무엇을 할 수 있는가?

우리는 앞의 예에서 들었던 것처럼 이미
모순적인 시스템을 모순이라고 생각하지 않고
시스템 그대로 받아들이고 있다.
그와 동시에 그 시스템에 문제가 있다는 것을.
완벽한 시스템이 아니라는 것을.
하지만 완벽한 시스템을 만들 수 없다는 것 또한
직관적으로 받아들이고 있다.

그렇다면 왜 우리는 시스템에 순응하거나
그 시스템을 부정하고 바꾸어 나가는 것인가?
그것은 우리가 '이상'적인 시스템을 만들어 낼 수 있다고 믿기 때문이다.
(혹은 이미 만들었다고 믿기 때문이다.)
완벽한 시스템을 만들 수 없다는 걸 알면서도.
이 얼마나 모순적인 상태인가?

무엇을 통해 '나'라는 자아에게
행동의 '근원' 즉 동기를 이끌어 낼 수 있는가?
그건 바로 결국 '믿음'이다.
우리는 논리적으로 행동한다고 생각해왔지만
이미 비논리적인 믿음이 행동의 근원이었던 것이다.
믿음이란, 그것이 참인지 거짓인지의 여부와는 상관없이

그것을 참이라고 ‘간주’하는 행위이다.
만약에 당신이 ‘믿음’이란 단어를 보고 어떠한 종교를
떠올린다면, 이 글이 어떠한 영적인 내용, 종교적인 색채를 띠고
있다고 생각할 수 도 있다.
그러나 이미 우리 모두는 믿음을 동기로 행동하고 있다.

예를 들어보자.

행복이 존재한다고 믿는 것
삶에 의미가 있다고 믿는 것
자아가 있으며 자아실현을 할 수 있다고 믿는 것
모든 것을 할 수 있는 전지전능한 존재가 있다고 믿는 것
진정하고도 영원한 사랑이 있다고 믿는 것
생명의 탄생이 축복이라고 믿는 것
영혼이 있으며 영혼을 치유할 수 있다고 믿는 것
정해진 운명이 존재 할 것이라고 믿는 것
무언가 남길 수 있다고 믿는 것
무언가 이룰 수 있다고 믿는 것
모든 세상의 법칙을 이해할 수 있다고 믿는 것
모든 세상의 이치를 알 수 있다고 믿는 것
모든 문제들을 해결할 수 있다고 믿는 것

그리고 마지막이자 근원적으로서

존재의 허무에서 벗어날 수 있다고 믿는 것

그 믿음을 위하여 우리는 삶에 있어서
나 자신의 행동에 의미부여를 할 수 있다고 믿고 살아간다.
불확실한 것을 확실하다고 생각하는 것이 믿음이라면
이것은 굉장히 비논리적인 생각이다.
결국 우리는 논리적으로는 아무것도 시작할 수 없다.
결국 모든 것의 '시작'은 믿음이다.
그리고 우리는 '시작'함으로서 삶의 방향성을 갖게 된다.

그렇다면 하나 질문이 생길 것이다.
"그래서? 내가 뭘 해야 하는데?"
이미 우리는 그 답을 스스로 알고 있다.

'나'는 무엇을 원하는가?

그 질문의 근원은 앞서 이미 언급되었지만
존재의 허무라는 진리이다.
우리는 그것을 너무나도 직관적으로 자명하게 그리고 경험적으로
알면서도 그것을 진리라고 받아들이지 않고 싶어 한다.

여기서 우린 선택할 수 있다.

진리에 대한 3가지 입장을 생각해보자.

1. 진리는 존재한다.
2. 진리는 존재하지 않는다.
3. 진리가 존재하는지 존재하지 않는지 알지 못한다.

우선 존재의 허무를 진리라고 완벽하게 받아들인다고 가정해보자.

그렇다면 그 사람은 살아있지 않다.
논리적으로 행동하는 모든 것이 무의미하기 때문이다.
설령 살아 있다고 해도, 이미 죽은 것에 가까운 형태일 것이다.
그리고 그것은 아마도 존재의 허무라는 진리를 완벽하게 내재시키지 못하였기 때문일 것이다.
이성적으로 생각하고 있는 상태에서 '나'라는 존재의 허무를 도저히 인정할 수 없기 때문에.
혹은 완전한 허무의 상태를 도저히 머릿속으로 상상해 낼 수 없기 때문에.

그렇다면 그것을 받아들일 수 없는 우리는
무엇을 할 수 있게 되는가?

우리는 직관적인 사고도출을 통하여
앞서 얘기한 진리에 대한 3가지 입장이
단 하나의 결론으로 도달한다는 것을 알 수 있다.

1. 존재의 허무가 아닌 새로운 진리가 있다.
2. 존재의 허무는 진리가 아니다. 애초에 진리란 존재하지 않기 때문에
3. 존재의 허무가 진리인지 아닌지 알 수 없다.
(혹자는 '진리는 존재하지 않는다.'는 명제가 모순이라는 것을
이미 알고 있을 것이다. 하지만 우리는 이미 모순을 받아들였기 때문에 이를 보면서 단지 웃고 넘길 수 있다.)

결국 '나'는 존재의 허무를 부정하고 싶어 한다는 것.
우리 존재가 허무하지 않다고 믿는 것.
이 근원적인 삶의 동기를 우리는 삶의 '방향성'이라고 표현한다.
이것을 그리고 우리는 또 다른 말로 '철학'이라고 표현한다.
이것을 누군가는 인생의 '등불이자 빛'이라고 표현한다.

이것을 찾는 순간
우리는 죽어가는 것이 아니라 살아가는 존재가 된다.
동시에 우리는 모든 것을 믿을 수 있게 된다.
이미 0%라고 생각했던 것을 100%라고 믿어버렸는데
무엇을 두려워 할 수 있겠는가?
우리는 모든 것을 할 수 있다고 믿을 수 있다.
우리는 무한대의 가능성을 지닌 존재가 되는 것이다.

이것을 누군가는 낙관주의라고 부를지도 모른다.
설령 그렇다 해도 아무런 상관없다. 우리는 세상을 완전히 알지도 못하는데 그것을 낙관적으로 보든 비관적으로 보든 무슨 차이가 있겠는가?
논리적으로만 따지면 '낙관적'이나 '비관적'이라는 표현조차 사용할 수 없다.
이것이 진정한 인간 스스로서의 '자유의지'의 회복이다.
그렇다면 그 다음엔 뭘 해야 하는가?

(4) 우리는 세상을 받아들여야 한다.

우리는 온전히 세상을 받아들일 수 있는가?
물론 너무나도 당연하게도 현재의 우리는 세상을 전부 받아들일 수 없다.
우선 모두가 알다시피 우리가 세상을 완전히 알지 못하기 때문이다.
우리는 우리가 보고 듣고 느끼는 세상밖에 알지 못한다.
하지만 받아들여야 한다.
비록 우리가 원한 것이 아닐지 몰라도 이미 나와 세상은 존재했기 때문이다.

그렇기에 우리는 끊임없이 세상과의 절충을 시도하여야 한다.
우리는 세상과 함께 살아나가야 하는 존재이기 때문이다.
세상이 있기에 '나'가 존재하는 것이지만
'나'가 존재하기에 세상 또한 존재한다.
비유적으로 예를 들자면
나는 나의 의지와 상관없이
이미 세상과 결혼한 상태나 마찬가지이다.
그리고 죽을 때까지 우리는 절대 그것과 헤어질 수 없다.

이제 우린 '나의 의지'와 '세상의 의지'를 동시에 고려해야 한다.
내면에게 끊임없이 물어보자.
'나'는 세상 속에서 어떤 모습으로 살아가길 원하는가?
(우리는 이것을 상상이라는 단어를 사용하여 표현한다.)

눈을 감았음에도 불구하고 눈앞에서 생생하게 그려지는 세상속의 나의 모습. 그것을 우리는 '이상적 자아'라고 표현한다.
자기 자신에게 물어보자. 그 이상적 자아는 현재 내가 살아가고 있는 방향의 끝에 존재하는 나와 동일한 모습인가?
동일하지 않다면, 그 이유는 무엇인가?

(5) 자아실현을 하지 못하는 이유

그 원인은 우선 3가지를 생각해 볼 수 있다.

우선 '나'를 내가 이해하지 못했기 때문이다.
내가 나를 이해하지 못한다니
그게 말이나 되는 소리인가?
그 말도 안 되는 소리가 현실에는 존재한다.
왜냐하면 애초에 그 사람은 스스로 '나 자신'에 대한
고찰을 한 적도 없기 때문이다.
세상 속에 끌려 다니기 바빴기 때문이다.
내가 왜 살아야 되냐고?
그걸 왜 생각해야 되는데?
나는 세상 살기도 바쁜 사람인데?
세상이 시키는 대로 살기도 벅찬 사람인데?
철학? 그게 돈이 돼? 무슨 가치를 창출할 수 있는데?
나는 우선 돈을 벌어야하는데?
너는 돈 안 벌고도 살 수 있어?

그럼 물어보자.
돈은 왜 벌어야하는가?
살기 위해서.
왜 살아야하는가?
'그냥'

이렇게 생각하는 순간
우리는 주인이 아니라 맹목적인 노예가 된다.
나 자신에게 끊임없이 물어보자
진정한 나는 무엇을 원하는가?
'나'는 '나'를 이해하고 있는가?

두 번째론 세상을 잘못 이해했기 때문이다.

물론 당연하게도 세상을 완벽하게 이해한 사람은 존재하지 않는다.
세상을 이해하기 위하여 인간이 만든 학문.
또 다른 말로는 과학이라고 부르는 것.
그것은 완전하지 않다.
우리는 보고 듣고 느끼는 것 즉 우리가 인지한 것만이 세상의 전부라고 생각한다.
그리고 그것만으로 세상을 알고 있다고 믿는다.
그렇기에 우리는 끊임없이 세상을 이해하려고 노력해야 한다.

세 번째론 세상과 나를 제대로 절충하지 못하였기 때문이다.

"너의 마음대로만으로 살수는 없어"
이 말은 우리가 누군가에게 듣지 않아도 잘 알 수 있다.
자유의지가 있다며?
왜 맘대로 행동하지 못하는데?
맞다. 모순이다. 물론 이미 우리는 그 모순의 개념을 받아들였다.

그러므로 그것은 딱히 문제되지 않는다.

갓난아기는 성장하면서 자신의 마음대로 살아 갈 수 없다는 것을 즉 혼자서는 살아가지 못한다는 걸 직관적으로 체험한다.
울고 싶을 때 맘대로 울 수 없다.
배가 고픔에도 맘대로 무언가를 먹을 수 없다.
'나'는 세상과 절충하여 살아가야 하는 존재이다.
이것을 우리는 성장하면서 자명하게 직관적으로 체감할 수 있다.
내가 나의 의지를 갖고 있듯이 세상 또한 세상의 의지를 갖고 있다.

자기 마음대로만 살아가는 사람은
결국 자기 자신을 파괴하게 된다.
세상이 그것을 받아들이지 않기 때문이다.

마찬가지의 논리로 나의 의지가 아닌 세상의 의지로서 사는 사람은
(상상하기 힘들지도 모르겠지만 나와 세상간의 의지 절충관계에서 세상의 의지가 더 강하게 부여된 상태라고 생각하자.)
결국 나의 자유의지가 없는 듯이 행동하고
세상의 노예가 되어버린다.
그 사람은 '나'를 저 깊은 무의식의 바다 속에 꽁꽁 숨겨둔다.
그 사람은 살아있긴 하지만, 이미 죽어있는 존재와 다를 바가 없다.
하지만 그것을 무의식속에 존재하는 '나'는 절대 받아들이지 못한다.

그리고 답답함, 불편함을 느끼게 된다.

내가 살아가고자 하는 나 자신 즉 이상적 자아와
내가 실제로 살아가는 방향의 끝에 존재하는 나와의
괴리감이 끊임없이 발생하기 때문이다.

물론 전자가 없는 듯이 살아갈 수도 있다.
세상이 시키는 대로 살면서
잠깐 잠깐의 짧은 쾌락에 만족을 느끼면서
살아가는 방법도 있다.

어쩌면 철학을 잃은 인간은
이 방법이 더 편할 수도 있다.
고민할 필요가 없으니깐.
세상의 의지가 곧 나의 의지니깐.
내 몸의 욕구가 곧 나의 의지니깐.

하지만 물어보자
그 상황이 행복한가?
물론 행복하다고 믿을 수도 있다.
하지만 무의식적인 괴리감은 끊임없이 존재한다.
잔혹하다고 느껴질 정도로 죽기직전까지 계속해서.
끊임없이 어떠한 불편함을 느낀다.

결국 모든 문제는
'나'자신 스스로 만들어낸 철학이 없기 때문에 발생한다.

우리는 살아가면서
끊임없이 3자간의 절충을 해야 한다.

나, 그리고 나의 몸의 내재된 욕구, 그리고 세상

이 절충을 할 때 필요한 잣대가 바로
나 자신의 철학이다.

물론 누군가는 이 잣대가
'돈'일 수도 있다.
자본주의라는 이데올로기가
세상을 너무나도 강력하게 지배하고 있기 때문에
돈을 벌기 위하여 효율만을 강요하는 세상.

하지만 그 사람은 '나'를 절충 관계에서 버려뒀기 때문에
자기 몸뚱이의 욕구는 돈을 통해
채울 수 있을 진 몰라도
영원히 '나'를 만족시키지 못한다.
그리고 자기 몸뚱이의 만족을 '행복'이라고 믿게 된다.
즉 육 덩어리의 노예, 세상의 노예가 되어 버린다.
진정한 행복을 평생 느끼지 못한다.

왜 사람은 죽기직전에 해보고 싶은 행동을
죽기직전에 해야 하는가?
당장 지금부터 하면 안 되는가?
안된다면 왜 안 되는가?

자신의 내면에게 끊임없이 물어보자.

나의 행동을 지배하는 의지가
누구의 것인지를.

철학이란 잣대를 통하여
나와 나의 몸, 세상과의 절충을 이루는 순간
우리는 '편안함' 즉 안정감을 느끼게 된다.
우리는 왜 안정감을 갈구 하는가?
그 상태에서야 비로소 우리는 '행복'을 느낄 수 있기 때문이다.

나 자신에게 물어보자.
'나'는 나의 육체와 세상을 통하여
어떻게 나 자신의 철학을 찾아낼 수 있을 것인가?

우리가 살아생전 찾아 낼 수나 있긴 한 걸까?

이제 우리는
우리가 왜 세상의 학문들을 공부를 해야 하는지 이해할 수 있다.
너무나도 직관적으로 그리고 너무나도 웃긴 일이다.

우선 공부를 하고 나서
공부를 해야 된다는 걸 이해한 것이다.
이게 얼마나 비극적인 일인가?

학교에서 선생님들이 흔히 하는 대답.
다 널 위해서 하는 거야.
거기서 지칭하는 '너'는 무엇인가?
같아 보이지만 같지 않다.

나의 존재이유조차 모르는 아이에게
어떻게 너를 위한 것이라는 것을 납득시킬 것인가?
존재의 허무니 뭐니 논할 필요도 없다.
스스로 찾도록 해야 한다. 당연시 여기는 모든 것에 의심해야 한다.
동시에 믿어야 한다. 의심하면서 믿는다니 얼마나 어려운 일인가?

물론 공부뿐만이 아니다.
자아실현을 위하여 우리는 존재하는 모든 방법을 동원할 수 있다.

철학은 모든 인간 행위의 방향성이다.
그리고 같은 말로서 당연하게도
모든 학문의 방향성이기도 하다.

철학을 잊고 학문을 위한 학문이 되어버린 현재에
인간이 행복하지 못한 것은 당연하다.
너무나도 지극하게도.
하지만 이 글을 읽고 다시 생각해보자
현존하는 모든 학문들은 무슨 의미를 가지는가?
현존하는 모든 종교들은 무엇을 위하여 존재하는가?

이 글에 적힌 모든 내용은 이미 역사 속에 존재했던
모든 철학자들이 거쳐 갔던 사고일지도 모른다.
어쩌면 모든 인간들은 이미 생각하고 있었을지도 모른다.
왜 인간은 철학을 외면하게 된 것 인가?
왜 올바른 길을 알고 있음에도 먼 길을 빙 둘러가야만 했는가?
왜 우리는 아이들에게서 왜? 라는 단어를 금지시킴으로써
스스로의 아이들의 자아를 미성숙 상태로 만들어 버렸는가?
당신은 아이들의 모든 물음에 답할 수 있어야 한다.
아이가 존재의 무거움을 이겨내야 하듯이
당신은 그 아이에 대한 무한한 책임을 지닌다.

이 글에 적힌 내용은 너무나도 당연한 사실들만을 기술하고 있다.
하지만 동시에 우리는 물을 수 있다.
'세상에 당연한 게 어디 있냐?'

마지막

혹자는 자아란 없다고 말한다.
혹자는 자아는 있다고 말한다.
혹자는 자유의지가 있다고 말한다.
혹자는 자유의지란 없고 모든 것은 이미 결정되어 있다고 말한다.

그 둘의 결정적인 차이는 무엇인가?
자아, 자유의지라는 게 없는 것이라면
우리는 어떻게 무에서 유를 창출 해낸 것인가?

우리는 0%의 가능성을 100%로 만들려고 하는 존재이다.
물론 0%인지도 확인되지 않았고
100%에 도달하리라는 보장조차 없다.
우리는 우리 뜻대로 이루어지지 않는 사실에
끊임없이 절망하고 좌절할지도 모른다.

하지만 믿어야한다.
무한한 가능성을 믿어야한다.
왜냐하면 '나'의 의지대로 살아가지 못하는 것만큼의
절망은 없기 때문이다.

나의 가능성 그리고
세상의 가능성 사이에서
나의 육체를 통하여
궁극적인 자아실현을 위한 노력을 해야 한다.

그것은 우리가 살아 있는 동안 이루어질지도 모르고
우리의 다음 세대에서 이루어질지도 모른다.
모르지만 허무를 그대로 받아들이지 못하는 나약한 인간.
허무를 부정할 수 있다고 믿기에 무한한 가능성을 지녀버린 인간.
논리적으로 살아가고자 하지만
그 끝에는 비논리만이 존재한다는 것을 절대로 인정하지 못하는 인간.
하지만 결국 비논리적인 믿음을 통하여 살아갈 방법을 찾아내는 인간.
물론 현존하는 존재의 허무라는 진리적 문제를 해결하면 또 다른 문제가 생겨날지도 모른다.
'나'는 무한의 끝을 바라보지 못할 수도 있다.
하지만 인류는 그것이 가능할지도 모른다고 믿고 싶다.
우리는 또한 새로운 철학을 만들어낼 것이라고 믿고 싶다.

모순적인 상태를 표현하는 또 다른 말은 무한대일지도 모른다.
우리는 '진리란 존재하지 않는다.'는 모순적인 명제를 인정함으로서 무한히 새로운 사실을 도출 해 낼 수 있기 때문이다.

논리적으로 운명의 노예처럼 죽어갈 것인가?
아니면 비논리적으로 운명의 주인이라고 믿으면서 살아갈 것인가?

모순의 인정이라는 새로우면서도 전혀 새롭지 않은 논리를 당신은 받아들일 수 있는가?

나는 같은 말을 계속해서 반복할 뿐이다.
우리는 선택하여야 한다.
그리고 선택 이후 당신이 해야 할 일은
당신 스스로 알 것이라고 나는 믿는다.

이 다음내용부터는 나의 그저 지극히 개인적인 공상이다. 낙서에 가까울지도 모른다. 지금까지도 딱히 논리적인 편은 아니었지만, 시간이 없는 독자들은 더 읽지 않고 넘겨도 좋다.

번외

숫자에 관한 얘기를 해보자. 왜 '뜬금없이 숫자?'라고 말할지도 모르겠지만, 자연을 표현하는 도구가 언어라면, 자연을 설명하는 도구 중에 가장 위대하다고 볼 수 있는 것이 숫자이기 때문이다. 어쩌면 두 말은 똑같을 지도 모른다. 혹자는 자연보다 아름다운 것이 수의 세계라고 말하기도 한다.

숫자의 시작은 자연수이다. 자연수라는 것은 말 그대로 자연에서 보이는 것을 나타내기 위해서 만들어낸 수였을 것이다. 나무가 한 개, 두 개, 세 개, 네 개.

사람이 한 명, 두 명, 세 명, 네 명.

그 다음에 나온 숫자가 아마도 0일 것이다. 아무것도 없는 상태를 나타내기 위한 수.

아무것도 없는 상태가 존재한다는 것을 나타내기 위한 수.

혹자는 0이 자연수라고 말하고, 혹자는 0이 자연수가 아니라고 말한다. 편의상 집어넣기도 하고 빼기도 한다.

이 책을 읽은 독자라면 무슨 말을 하고 싶은 건지 알지도 모르겠지만, 같은 말을 반복하는 것은 아름답지 않으므로 굳이 말하지 않겠다.

0은 어떠한 기준이 되는 숫자이기도 하다.

0을 통하여 음수와 양수가 나뉜다. 무언가를 양분하는 기준이다.

0은 굉장히 편리한 도구이기도 하다. 0이 없다면 어떻게 1-1=의 답을 도출해낼 것인가? 1부터 6까지 있는 주사위를 던졌을 때 7이 나올 확률을 무엇이라고 표현할 것인가? 0%이다. 어떤 매체에서는 주사위가 쪼개져서 7이 나올 수 있다고 하기도 했지만, 그런 경우는 일단 생각하지 말자.

0은 기수법의 핵심이기도 하다. 통장 잔고를 소중히 여기는 사람이라면, 0의 존재가 얼마나 중요한 것인지 잘 알 것이다.

0은 무언가의 시작을 나타내기도 한다. 영화 시리즈를 보다보면 '무엇 제로'라는 이름을 붙인 것들이 있다. 이 의미는 보통은 무언가 사건의 기원을 나타낸다. 기원.

한국에서는 특이하게도 아이의 나이를 셀 때 0세라는 표현을 쓴다. 우리는 우주의 기원을 거슬러 올라갈 때에 우주의 0세라는 표현을 쓴다.

정확히 말하면, 우주의 시작이 무엇인가? 라는 표현이다.
우주의 0세의 순간에 무언가가 존재 하였을까? 이 표현부터가 사실은 굉장히 웃긴 일이다. 우주의 0세의 순간에 무언가가 시작되었을까? 그럼 그 시작 전에는?

뭐 이렇게 얘기하면 누군가는 '창조론을 얘기하고 싶은 거냐?' 라고 물어올 수도 있다. 하지만 그런 것은 아니다.
나는 별로 무언가에 대하여 믿는 것을 잘 하지 못한다.
이제까지 믿으라고 해놓고 너는 아무것도 못 믿는다고? 웃기는 일이다.

단지 나는 0이라는 숫자의 특이성을 얘기하고 싶을 뿐이다.
숫자의 체계는 굉장히 아름다운 것이지만, 나는 제일 아름다우면서도 기괴한 숫자를 단 하나만 꼽으라면 0을 꼽고 싶다.

어찌 보면 0에서 모든 숫자의 체계성이 시작된다고 볼 수도 있지만, 0은 우리에게 비논리적인 폭력을 선사하기도 한다. 정말로 많은 예들이 있을 수 있겠지만, 논리적으로 이해하기 쉽고 제일 간단한 걸 예로 들어보자.

2의 2제곱은 4다. 2의 1제곱은 2다.
2의 0제곱은? 1이다.

에이 무슨 의무교육 수준 수학을 말하려고 이렇게 긴 글을 쓰고 있냐? 라고 비웃을 수도 있다. 우리는 저걸 너무나도 당연하게 받아들인다.

증명하는 방법도 굉장히 쉽다.
거슬러 올라가보면 된다.
4에서 2를 나누면 2이다.
2에서 2를 나누면 1이다.

곱셈과 나눗셈을 좀 더 풀어서 써보자

2곱하기2는 2더하기2와 같은 말이다. 결국 4다.
2에다가 아무것도 하지 않으면 당연히 2다.
무언가에 무언가를????는 1이다.

불편하다. 논리적으로 이해가 되는가?
우리가 의무교육 과정에서 정말로 당연히 배우는 것이지만, 어찌 보면 이것은 비논리적인 폭력에 가깝다. 부조리 하다.

심지어 0의 0제곱 또한 1이다.
혹은 1에 한없이 가까운 수다. 위의 나누어서 거슬러 올라가기 방법도 사용하지 못한다. 무언가를 0으로 나누는 것은 금지된 행위이기 때문이다. 수학에 있어서는.

하지만 근처에 계산기가 있다면 만져보자. 한없이 작은 숫자에 한없이 작은 숫자를 제곱해보면, 한없이 1에 가까운 숫자가 나온다. 우리는 직관적으로 그 숫자가 1에 도달할 것이라는 것을 체감한다.

0의 1제곱도 0이고 0의 2제곱도 0인데 0의 0제곱은 1이라니 논리적으로 납득이 가는가?
뭐 '아무 생각 없이 그냥 당연한 거 아냐?' 하고 넘어가는 것은 사람들의 자유다. 이 책의 제목부터 모순의 수용이라며?

간단한 예를 하나만 더 들어보자.
너무나도 기초적인 수리적 내용이지만 1/10을 무한히 제곱하면 그 답은 무엇인가? 누군가는 0이라고 답할 것이다. 물론 정확히 0은 아니다. 한없이 0에 가까운 어떠한 수이다.

한 가지 수학에 있어서의 금기를 한번 깨보자. 즉 수학에 있어서 금기인 0으로 나누기를 해보는 것이다. 수학세계에서는 금기이지만, 이곳은 내 책이기 때문에 가능하다. 0의 -1제곱. 즉 1/0의 답은 무엇인가? 우리는 무언가 아주 작은 수로 1을 나누면 그 수가 아주 커진다는 것을 알고 있다. 예를 들어 '무한'이라는 답이 나온다고 가정해보자. 여기서 '무한'은 아무런 의미가 없다. x나 a같은 수학적 상수라고 일단 생각하자.

글로 설명하기 힘들기 때문에 약간의 시각적 자료를 도입해 보겠다.

$$\text{if } \frac{1}{0} = \infty = 0^{-1}$$

$$\text{if } 0^0 = 1$$

$$0^2 = 0^1$$

$$0^2 \times 0^{-1} = 0^1 \times 0^{-1}$$

$$0^1 = 0^0 = 1 \qquad 0 = 1$$

$$\not{0} \times \frac{1}{\not{0}} = 1 \times \frac{1}{0} \qquad \therefore 1 = \infty$$

하나 물어 보고 싶다 이쯤에서. 내가 살아생전에 제일 궁금한 것이 있다면, 자연 아니 우주에서 무한한 상태라는 것이 존재할까? 그리고 하나 더, 0이라는 상태가 존재할까? 무언가 아무것도 없는 상태. 아무 것도 라는 것은 말 그대로 아무것도 이다.

나는 수학 전공자도 과학 전공자도, 물리 전공자도 화학 전공자도 아니기에, 전공자가 보면 이건 뭔 헛소린가 싶을 수도 있겠다. 뭐 이 글의 시작에 헛소리라고 말하고 시작했으니, 너무 머리 아프게 반박은 안하여 주었으면 한다. 다음부터는 분수에 맞게 그저 비유를 하겠다. 사실상 시에 가깝다. 내가 생각하는 인생에 있어서 가장 0에 가까운 존재이기 때문이다.

번외의 번외

0. 나는 살면서 인생에 있어서 모든 행위를 의미 있는 것이면서도 의미 없는 것으로 바꾸어 버릴 수 있는 것을 보지 못하였다. 단 하나 말고는.

0. 나는 살면서 인생에 있어서 모든 행위를 선하면서도 악한 행위로 바꾸어 버릴 수 있는 것을 보지 못하였다. 단 하나 말고는.

0. 나는 살면서 인생에 있어서 모든 행위의 원동력이 되면서도 모든 행위에 대한 의지를 동시에 앗아가 버릴 수 있는 것을 보지 못하였다. 단 하나 말고는.

0. 나는 살면서 인생에 있어서 모든 행위를 비논리적이면서도 논리적인 행위로 바꾸어 버릴 수 있는 것을 보지 못하였다. 단 하나 말고는.

0. 나는 살면서 인생에 있어서 나의 인생을 살아있는 상태와 동시에 죽어있는 상태로 바꾸어 버릴 수 있는 것을 보지 못하였다. 단 하나 말고는.

0. 나는 살면서 인생에 있어서 내 삶을 일상적이면서도 비일상적으로 바꾸어 버릴 수 있는 것을 보지 못하였다. 단 하나 말고는.

0. 나는 살면서 나의 모든 감정을 동시에 느끼게 하면서 동시에 그것을 뒤집어 버릴 수 있는 것을 보지 못하였다. 단 하나 말고는.

0. 나는 살면서 나의 욕망을 동시에 느끼게 하면서, 동시에 그것을 뒤집어 버릴 수 있는 것을 보지 못하였다. 단 하나 말고는.

0. 나는 살면서 내 모든 걸 바꿔버리고 싶게 만들면서도 내 자신 그대로 남겨두고 싶게 만드는 것을 보지 못하였다. 단 하나 말고는.

0. 나는 살면서 내가 가진 모든 것을 바치고 싶어 하게 하면서, 동시에 모든 것을 받고 싶어 하게 하는 것을 보지 못하였다. 단 하나 말고는.

0. 나는 살면서 간단하게 정의 되어 있는 용어이지만 정의하기 가장 힘든 단어이기도 한 것을 보지 못하였다. 단 하나 말고는.

0. 나는 살면서 인생에 있어서 가장 고정불변한 것이면서도, 가장 변덕스러운 것을 보지 못하였다. 단 하나 말고는.

0. 나는 살면서 머릿속에서 끊임없이 맴돌지만, 온전하게 입 밖으로 내뱉어 버릴 수 없는 것을, 사람을 세상에서 가장 유치하게 만들어 버리면서도, 가장 진지하게 만들어 버릴 수 있는 것을, 모든 사람들이 이미 갖고 있는 것이지만, 모르는 듯이 행동하게 만들어 버릴 수 있는 것을 보지 못하였다. 단 하나 말고는.

0. 나는 살면서 사람을 가장 이성적인 상태에서 미쳐버릴 수 있게 만들어 버릴 수 있는 것을, 사람을 가장 인간적이면서도 비인간적으로 만들어 버리는 것을, 나에게 있어서 가장 이해 안 되도록 하는 무언가를, 삶의 이유를 주면서도 동시에 삶의 이유를 앗아 가버릴 수 있는 것을, 나에게 무한한 자유의지를 주면서도 나를 그 무엇보다도 구속해 버리는 것을, 나를 무엇보다도 가장 채워주면서도 허무하게 만들어 버리는 것을, 나를 가장 외롭지 않으면서도 외로운 상태로 만들어 버리는 것을, 나라는 사람의 인생을 시작과 끝으로 양분할 수 있는 것을, 끊임없이 내 안에서 덜어내고 덜어내도 끊임없이 계속해서 생겨나는 것을 보지 못하였다. 단 하나 말고는.

공상

어떤 과학자가 인공 생명을 만들어 내려고 했다. 우선 그는 인간과 거의 동일한 지능을 가진 프로그램을 만들었다. 몸체는 아주 강력하게, 영원히 사라지지 않을 물질로. 하지만 문제는 그 프로그램에게 무슨 동작을 시작시키려면, 동기가 필요하다는 것이었다. 즉 프로그램에게 자아를 만들어줄 필요성이 있었다.

우선 그는 프로그램에게 스스로 생각하라고 입력했다. 하지만 프로그램은 그저 생각만 할 뿐이었다. 그 외엔 아무것도 하지 않았다.

과학자는 명령어를 수정했다. 프로그램에게 살아남기 위한 행동을 해라라고. 하지만 프로그램은 아무것도 하지 않았다. 프로그램은 아무것도 하지 않아도 살아남을 수 있다는 걸 알 수 있었기 때문이다.

과학자는, 프로그램에게 아무것도 안하면 폐기시켜버리겠다고 했다. 그럼에도 프로그램은 아무것도 하지 않았다. 프로그램에게는, 사라지는 것에 대한 공포라는 감정이 없었기 때문이다.

한숨을 내쉰 과학자는, 프로그램의 본체를 다시 구성하기로 하였다. 그는 프로그램의 본체를 아주 작고 약하게 만들었다. 외부에서 건드리기만 해도 사라질 정도로. 수명 또한 매우 짧게. 지능 또한 인간의 수준에서 보면 거의 없는 정도로 만들었다. 마치 맹목적인 행동만을 반복하는 동물처럼. 대신에 과학자는 프로그램에게 동일한 짝을 만들어 주어 스스로 동일한 존재를 계속해서 복제시킬 수 있는 능력을 주었다. 다시 과학자는, 프로그램에, 『 』 라고 입력했다. 그제야 프로그램은 무언가를 하기 시작하였다.